Pablo trouve un trésor

Texte : Andrée Poulin | Illustrations : Isabelle Malenfant

Nous remercions le Conseil des
arts du Canada de l'aide accordée
à notre programme de publication
et la SODEC pour son appui
financier en vertu du Programme
d'aide aux entreprises du livre
et de l'édition spécialisée.

Nous reconnaissons l'aide financière
du gouvernement du Canada par
l'entremise du Fonds du livre du Canada
(FLC) pour nos activités d'édition.

Gouvernement du Québec - Programme
de crédit d'impôt pour l'édition
de livres - Gestion SODEC

Pablo trouve un trésor

a été publié sous la direction
de Yves Nadon et de France Leduc.

Design graphique : Tatou communication visuelle
Révision : Jenny-Valérie Roussy
Correction : Fleur Neesham

Dépôt légal - 2e trimestre 2014
Bibliothèque et Archives nationales du Québec
Bibliothèque et Archives Canada

ISBN 978-2-89540-640-2

Loi 49-956 du 16 juillet 1949 sur les
publications destinées à la jeunesse.

Dès 7 ans.

Catalogage avant publication de Bibliothèque
et Archives nationales du Québec et Bibliothèque
et Archives Canada

Poulin, Andrée

Pablo trouve un trésor
Pour enfants de 7 à 10 ans.

ISBN 978-2-89540-640-2

I. Malenfant, Isabelle, 1979-   . II. Titre.

PS8581.O837P32 2014   jC843'.54   C2014-940197-3
PS9581.O837P32 2014

À mon amie/auteure, Mireille Messier.
A. P.

À mon oncle Jacques, pour
qui tous les livres sont des trésors.
I. M.

carré ● BLANC
Les 400 coups

Le soleil s'étire dans le ciel et les rapaces tournoient au-dessus du bidonville. Sofia secoue son petit frère.

- Réveille! Debout, paresseux!

- Fatigué, grogne Pablo.

- On va peut-être trouver un trésor aujourd'hui... dit Sofia.

- Fatigué, répète Pablo.

Avant de partir au travail, la mère des enfants
fait ses recommandations :

- Sofia, n'oublie pas les tortillas!
  Pablo, n'oublie pas ton crochet! dit-elle.

Les enfants empoignent leurs sacs
et partent en courant vers la montagne
aux trésors.

Lorsque Pablo et Sofia arrivent à la montagne,
il y a déjà foule. Pablo se bouche le nez, même s'il sait
que dans une heure, il ne sentira plus la puanteur.

Soudain, Pablo entend le grondement du moteur du camion.
Son cœur se met à battre plus vite. Le garçon a envie
de prendre la main de sa sœur, mais il ne veut pas montrer sa peur.

L'arrivée du camion soulève des nuages de poussière.
Tout le monde se met à courir. Ça pousse. Ça pince. Ça crie.
Pablo déteste cette bousculade.

Petite anguille agile,
Sofia se faufile à travers la foule.
Les premiers arrivés ont plus de chance de trouver
des trésors. Pablo zigzague en direction opposée.

Quelqu'un lui balance
un coup de coude dans l'œil.
Le garçon tombe, se relève
et reprend sa course.

Quand le camion termine de vider sa cargaison, la poussière retombe.
Les cris cessent. Tout le monde se met à fouiller énergiquement
dans ce nouvel arrivage de déchets. Sofia accourt :

- Pablo! J'ai trouvé une botte! Bleue! Ta couleur préférée!

- Ton bras saigne, dit le garçon.

Sofia hausse les épaules.

- Pas grave! J'ai trouvé mon premier trésor de la journée.

- La botte est trop grande pour mon pied, dit Pablo.

- Tant mieux. Tu pourras la porter plus longtemps,
  réplique sa sœur.

Pablo et Sofia ramassent des morceaux de verre
et des boîtes de conserve. Avec leurs crochets,
ils embrochent des morceaux de plastique
et des bouts de papier. À la fin de la journée,
leur mère ira vendre cette récolte.

Le sac de Sofia se remplit plus vite que celui de Pablo.
Le garçon veut tellement trouver un trésor
qu'il oublie parfois les déchets recyclables.

- Pablo, tu as manqué ces papiers! s'exclame Sofia.
  Travaille comme il faut, comme ça on pourra
  peut-être acheter un demi-poulet pour souper.

Pablo déterre une moitié de livre sous une pile de vieux chiffons.

- Sofia, j'ai trouvé un trésor!

Sa sœur fait la grimace.

- Pfff! Ça ne rapportera même pas
  de quoi acheter trois tortillas.

Pablo regarde longuement les illustrations.
Il voudrait bien savoir ce que l'histoire raconte.

- J'aimerais apprendre à lire, dit-il à sa sœur.

Sofia hausse les épaules :

- Pour quoi faire? Savoir lire,
  ça ne remplira pas mon ventre!

- Psitt! Pablo, viens!

Sofia entraîne son frère à l'écart.

- Tadam! Mon deuxième trésor de la journée!

Elle brandit deux carottes ridées, un peu molles,
mais pas pourries.

Vite, le frère et la sœur croquent les carottes.
Mieux vaut les manger maintenant
plutôt que de se les faire voler.

- Attention! Grand Sale arrive!
s'écrie Sofia.

Les enfants détalent aussi vite
que des lapins sauvages.

Pablo et Sofia se cachent
derrière un bidon rouillé.
Grand Sale arrache les sacs aux enfants
qui n'ont pas réussi à se sauver.
Il les oblige à vider leurs poches.

Les petits pleurent.
Les grands serrent les poings.
Personne ne proteste.
Personne ne résiste au voleur.
C'est qu'il cogne fort, ce Grand Sale.
Pablo tremble de peur, et de colère.

Une fois Grand Sale reparti,
les enfants reprennent leurs fouilles dans les déchets.
Le sac de Pablo s'alourdit.
La sueur mouille son t-shirt.

Près de lui, une fillette pleure.
Elle s'est coupé la main sur un morceau de verre.
Les autres l'ignorent. Sur la montagne aux trésors,
les *pepenadores* se blessent si souvent
que personne ne s'en inquiète.

Sofia tousse et tousse. Les gaz qui s'échappent des déchets
lui piquent la gorge. Des larmes tracent des sillons
sur ses joues sales. Pablo voudrait consoler sa sœur,
mais sait déjà ce qu'elle va lui dire : « C'est la fumée
et la poussière qui font couler mes yeux.
Même pas des vraies larmes... »

Pablo a chaud et soif. Les mouches l'achalent.
Il voudrait aller sauter dans la grande
fontaine de la place publique. Mais la ville
est trop loin et sa récolte de déchets
encore trop petite. Le garçon lance une
pierre aux charognards.

- Allez, vieille montagne crottée!
  Donne-moi un trésor! crie Pablo.

Il donne un coup de pied dans un sac
à demi éventré. Et là, parmi les épluchures
de patates, il voit un objet brillant.

Pablo plonge sa main dans les épluchures et en tire...
une chaîne!

Une chaîne en or!

Le métal précieux brille contre la crasse de sa main.

Pablo serre les dents pour ne pas crier sa joie.
Il court vers Sofia pour lui montrer son trésor.

Cachés derrière un bidon rouillé, Pablo et Sofia
se chuchotent leurs rêves. Ils pensent à tout
ce qu'ils vont s'offrir après avoir vendu la chaîne en or.

- C'est sûr que je m'achète un livre,
  annonce Pablo, très excité.

- Ah non! Moi, je veux du poulet tous les soirs
  de la semaine, déclare Sofia.

- Je veux aussi un chaudron neuf pour maman.

- Et moi, des gants pour ne pas me couper
  quand je fouille dans les déchets,
  renchérit sa sœur.

- S'il reste des sous, peut-être
  un cornet de crème glacée...

Sofia sourit :

- Mieux encore : un sac de bonbons
  au miel!

- Donne-moi la chaîne, dit Sofia.
  Je vais la cacher dans ma jupe.

- **NON!** proteste Pablo.

- Mais tu as des trous dans tes poches.

- C'est **MON** trésor! s'entête Pablo.

- Hé, là-bas! Qu'est-ce que vous avez trouvé?
  crie un homme.

Les enfants sursautent.

- Cours, Pablo! Cours! hurle Sofia.

Le garçon s'enfuit. Il court comme si des langues de feu
lui brûlaient les talons. Mais sa botte trop grande le ralentit.

Pablo trébuche et s'étale dans la boue.
Grand Sale le rattrape aussitôt. Il donne une claque
derrière la tête de Pablo.

- Quand je dis donne,
  tu donnes. Compris?

Pablo vide son sac dans celui du voleur.
Il serre les dents pour ne pas pleurer.

- Toi, la fille, si tu ne viens pas
  tout de suite, j'emmène ton frère!

Sofia sort aussitôt de sa cachette.

Grand Sale repart avec tous les déchets recyclables
ramassés par Pablo et Sofia. Il emporte même
la botte bleue.

Les enfants rentrent à la maison d'un pas traînant.
Sofia crie à son frère :

- Je t'avais dit de me donner la chaîne!

Pablo ne répond pas.

- Toute une journée de travail perdue! gémit Sofia.

Pablo ne dit rien.

- On n'aura pas de poulet, encore moins des bonbons!
  Ce n'est pas juste! s'exclame-t-elle.

Pablo ne parle toujours pas.

Des larmes tracent des sillons sur les joues sales de Sofia.
Pablo n'essaie pas de consoler sa sœur.
Il sait pourtant que cette fois, ce sont de vraies larmes.

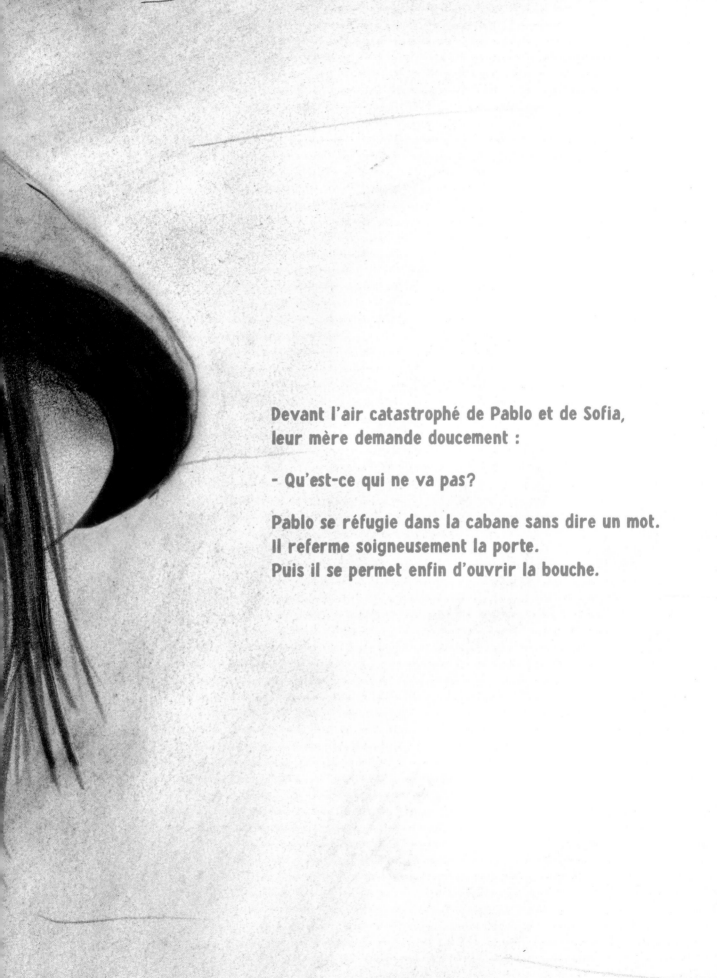

Devant l'air catastrophé de Pablo et de Sofia,
leur mère demande doucement :

- Qu'est-ce qui ne va pas?

Pablo se réfugie dans la cabane sans dire un mot.
Il referme soigneusement la porte.
Puis il se permet enfin d'ouvrir la bouche.